Prince Prout

Texte : Jean Heidar
Illustrations : Christine Delezenne

Les 400 coups

Nous remercions le Conseil des Arts du Canada de l'aide accordée à notre programme de publication et la SODEC pour son appui financier en vertu du programme d'aide aux entreprises du livre et de l'édition spécialisée.

Nous reconnaissons l'aide financière du gouvernement du Canada par l'entremise du Programme d'aide au développement de l'industrie de l'édition (PADIÉ) pour nos activités d'édition.

Prince Prout
a été publié sous la direction de Paule Brière.

Design graphique : Mathilde Hébert

Révision : Dominique Bourque

Correction : Micheline Dussault

Diffusion au Canada
Diffusion Dimédia inc.
539, boulevard Lebeau
Saint-Laurent (Québec)
H4N 1S2

Dépôt légal – 2e trimestre 2003
Bibliothèque nationale du Québec
Bibliothèque nationale du Canada
ISBN 2-89540-068-7

Loi 49-956 du 16 juillet 1949 sur les publications destinées à la jeunesse.

Imprimé au Canada par Litho Mille-Îles ltée.

À Dagmar et Boris
Jean

Pour mon fils Ulysse
qui s'entraîne secrètement
à devenir le maître du pet
dans un futur fleuri.
Christine

Simon venait d'une famille où tout le monde, depuis toujours, pétait très normalement. De sa grand-mère, qu'on entendait à peine, à son père qu'on entendait beaucoup. Les dimanches après-midi, il n'était pas rare de les voir, tous ensemble, proutproutter avec entrain *V'là le bon vent* et autres chansonnettes à la mode.

Tous, sauf Simon qui, malgré ses efforts, ne réussissait qu'à péter des fleurs : des roses, des jacinthes... et même des boutons d'or. Elles s'envolaient pimpantes et voletaient partout dans la maison.

Simon
le héros
frère
papa
maman
soeur

Grrrr
Grrr

En été, les parents ouvraient les fenêtres, mais en hiver, les fleurs, incapables de s'échapper, s'agglutinaient dans tous les coins.

– Serre les fesses ! criait sa mère, désespérée. Encore et toujours, il faut que je coure les placards pour trouver des vases. Tu vas me faire mourir !

Simon n'en avait pas du tout envie. Pour l'aider, il avait imaginé plein de trucs comme rembourrer sa culotte ou encore se mettre un bouchon dans le derrière. Mais c'était peine perdue ; tous les jours sa mère devait vider, rincer et nettoyer.

– Tu vas enfin pouvoir te reposer, dit un jour Simon à sa maman. Je m'en vais.

– Ah bon ! répondit-elle. Et où donc ?

– Chez monsieur Michaud, le fleuriste. Je lui ai écrit, il veut m'engager.

– C'est une très bonne idée, approuva la mère. Ainsi, tu apprendras un beau métier.

Le soir même, Simon faisait sa valise.

– Au revoir ma famille ! lança-t-il un peu ému.

– C'est ça, répondirent-ils.

Sauf la grand-mère, qui se moucha bien fort.

Le fleuriste Michaud était un homme affreusement paresseux. Le matin, madame Michaud, sa femme, se serrait contre lui en murmurant: «Allons, mon gros nounours, reste encore un peu». Et lui, se collait dans son dos et se rendormait.

À ce train-là, son commerce allait si mal que les gens murmuraient d'un air entendu: «Tss, tss, c'est-y pas malheureux!»

Même leur fils Boris, pourtant grand et solide, ne sortait du lit que pour aller manger.

– Boris, criait monsieur Michaud. Va arroser les plantes!

– Abe... abebe..., bégayait Boris.

– Pauvre chou fatigué, le défendait sa mère, il est encore petit.

– Petit, petit... Il a une tête de plus que moi, ronchonnait le fleuriste. Heureusement qu'on a embauché quelqu'un. Comment se nomme-t-il déjà?

– Simon, répondit madame Michaud. C'est bien que tu m'en parles, parce qu'il arrive aujourd'hui.

ZzZzZ

Nutrition Information nutritionnelle
PER 29,5 g SERVING* / PAR PORTION DE 29,5 g*
ENERGY / ÉNERGIE 98 Cal/410 kJ
PROTEIN / PROTÉINES 4,1 g
FAT / MATIÈRES GRASSES 0,7 g
CARBOHYDRATE / GLUCIDES 19 g
* equates to 256 mL (9 fl oz) when prepared to directions
selon les instructions

Ce soir-là, madame Michaud avait préparé une soupe aux choux et sorti ses plus beaux couverts. Comme elle ne recevait pas souvent, elle trottinait un peu énervée.

– Le voilà ! Le voilà ! cria-t-elle en entendant le coup de sonnette.

Sans cérémonie, Simon suivit tout le monde à table. Il n'aimait pas beaucoup la soupe aux choux, mais il était bien élevé. Quand il eut tout avalé, madame Michaud lui trouva une chambre et il alla se coucher.

Au matin, le lit de Simon disparaissait sous une montagne de petites fleurs bleues.

– C'est... la soupe, s'excusa-t-il.

Les Michaud, qui pour une fois s'étaient levés de bonne heure, le regardaient, émerveillés.

– La soupe, répéta Simon.

Pour montrer, il appuya sur son ventre et une gerbe de lavande virevolta jusqu'à la porte.

– Ha, ha ! dit le fleuriste. Certainement, il a l'amour du métier.

– Hi, hi ! ajouta sa femme. Sûr de sûr, il est doué.

– Prout-prout, rigola Boris. C'est comme ça qu'il devrait s'appeler.

– J'espère qu'il sait faire autre chose que de la lavande, s'inquiéta soudain madame Michaud. Parce que la lavande, on s'en lasse.

À force d'expérimentations, la femme du fleuriste découvrit que Simon était capable de variété. Pour avoir des roses, il fallait deux cents grammes de petits pois ; pour des tulipes, du pain bis ; pour des violettes, des pommes vertes... mais pour les orchidées, elle n'avait pas encore trouvé.

Les jours suivants, pendant que les Michaud continuaient de se prélasser, Simon astiquait et nettoyait. Chaque nouvel effort apportait sa botte de fleurs, des grosses, des petites, des fleurs toutes en boutons ou déjà bien mûres. Quand il ouvrait les portes du commerce, toute la rue embaumait. Si bien, qu'on vint bientôt de partout pour admirer sa marchandise.

Afin de répondre à la demande, Simon devait maintenant ingurgiter des kilos de lentilles et des tonnes de haricots.

– C'est la fortune ! disait monsieur Michaud.

– Nous sommes riches ! ajoutait sa femme.

La renommée des Michaud devint si grande que tout le monde voulait les inviter. C'est ainsi qu'ils apprirent que le roi Florian organisait un concours à l'intention des fleuristes. C'était un roi très sympathique qui, comme tous les rois d'aujourd'hui, préférait jouer au golf plutôt que de faire de la politique.

spécial lavande
fleurs
Pistil d'Or
fleurs

Celui qui offrirait à la reine, son épouse, le plus beau bouquet de fleurs, se verrait remettre la prestigieuse médaille du Pistil d'Or. De plus, fidèle à la tradition, le roi avait promis de donner au gagnant, sa fille Véronique en mariage.

– Ouille Yoyo Yo ! s'excita Boris, la médaille du Pistil d'Or ! Moi qui ai toujours rêvé d'avoir une médaille...

– Une médaille c'est bien, mais une princesse c'est mieux..., dit sagement son père.

– Quand tu seras marié, ajouta sa mère, nous deviendrons le fournisseur officiel des serres de la couronne et nous serons encore plus riches. Immensément richissimes.

Pour gagner le concours, il leur fallait cependant l'aide de Simon.

– Mais il ne doit pas le savoir, avertit madame Michaud.

– Pourquoi ? demanda Boris.

– Parce qu'il gagnerait à ta place, crétin ! Non mais je vous jure, celui-là, il faut tout lui expliquer.

On engagea le meilleur cuisinier de la ville. Mais malgré toutes ses recettes, les résultats étaient maigres. Le plus souvent, trois heures de travail acharné en cuisine ne donnaient qu'un tout petit pet à deux pétales ou même pas de pétale du tout.

– On avait de meilleurs résultats avec la soupe aux choux, pestait monsieur Michaud.

– T'as raison, bougonnait sa femme. Mais ce n'est pas avec un bouquet de lavande que Boris épousera la fille du roi.

Ils commençaient à se décourager lorsque arriva une chose inattendue.

Un dimanche, alors qu'il se promenait tout seul au Parc de la Batifolante, Simon croisa une merveilleuse jeune fille aux yeux noisette. Elle s'appelait Véronique et c'était, bien sûr, la princesse. Comme dans les contes, il en tomba aussitôt éperdument amoureux.

Cette nuit-là dans son sommeil, il en rêva tant et si bien que le lendemain, sa chambre tout entière sentait la fleur de vanille. Tout joyeux, il sauta de son lit, oublia de déjeuner et se rendit à la boutique en sifflotant.

Depuis l'annonce du concours, Boris allait tous les matins dans la chambre de Simon vérifier les résultats de la nuit.

Ce jour-là, en soulevant les draps, il découvrit un extraordinaire bouquet d'orchidées. Elles étaient si délicates, à la fois si douces et si belles, qu'il en fut bouleversé.

– Cette fois, ça y est ! murmura-t-il.

Et il courut réveiller ses parents.

Le temps pressait. Le roi devait désigner le vainqueur le jour même, à midi. Déjà, la moitié du royaume s'entassait sur la Grand-Place. Il y avait là les meilleurs fleuristes. Partout se dressaient, pimpantes, des pyramides de fleurs multicolores.

– Pile à temps ! souffla madame Michaud.

Le concours allait bon train. Un à un, les concurrents étaient éliminés. Sûr de sa victoire, Boris agitait les bras et envoyait des baisers à la princesse.

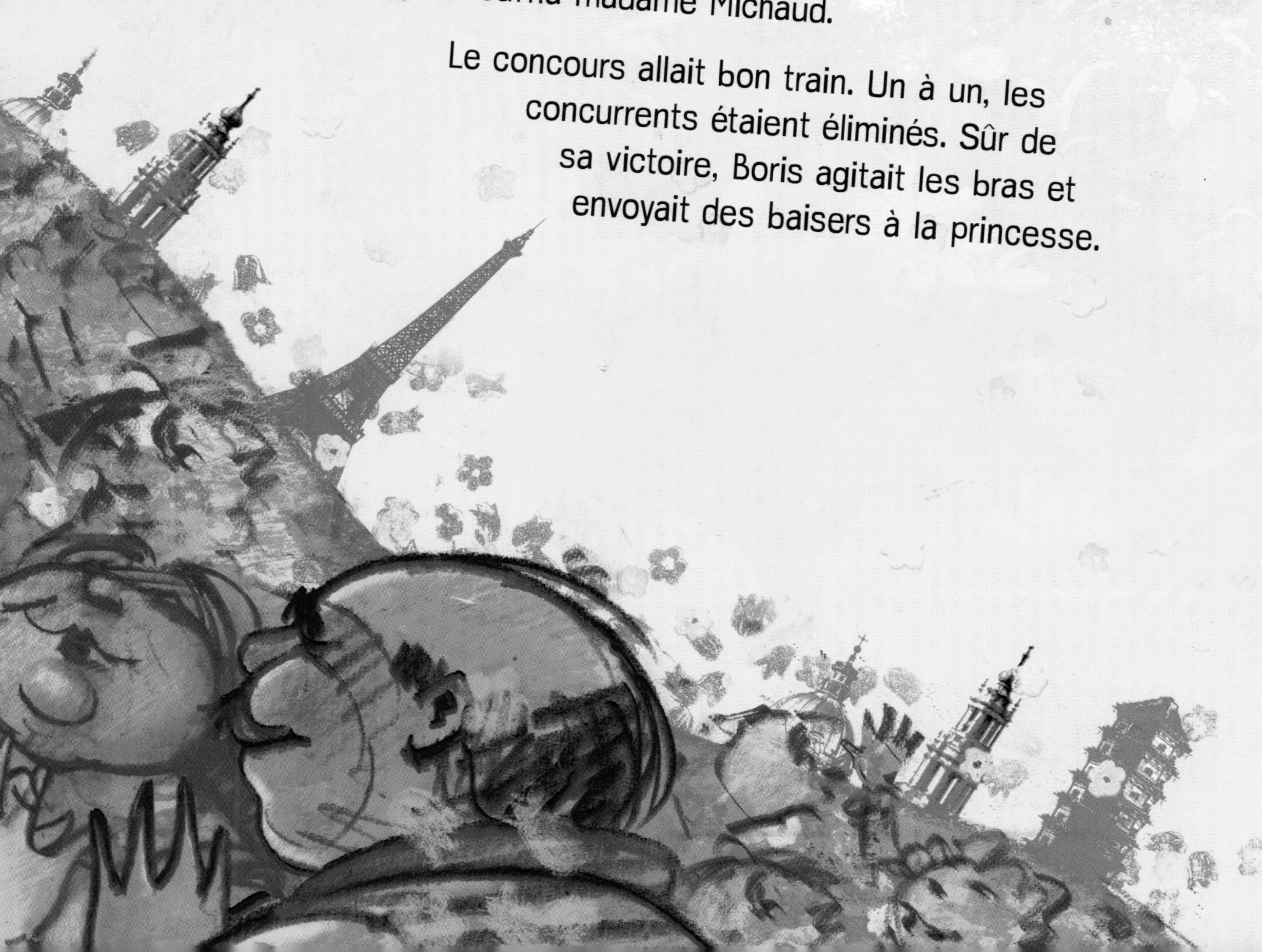

Elle m'aime...
un peu... beaucoup...

Pendant ce temps, Simon empotait et rempotait sans se douter de rien. Il rêvassait en soupirant lorsqu'un voisin fit irruption dans la boutique.

– Qu'est-ce que tu fabriques ? Tu n'es pas au concours ?

– Quel concours ? demanda Simon.

– Comment, quel concours !? Allez, fais-toi beau et suis-moi !

Par chance, le voisin avait une super moto qui, en trois coups de piston, les conduisit à la Grand-Place.

Le jury venait tout juste de rendre son verdict.

– Mesdames et messieurs, annonça le roi, le grand gagnant est Bo...

Toute l'assistance retenait son souffle.

À cet instant, les yeux de Simon croisèrent ceux de la princesse et le plus extraordinaire bouquet de fleurs qu'on puisse imaginer s'envola aussitôt vers elle.

– Qui ? que ? quoi ? s'interrompit le roi.

– C'est lui, papa, dit la princesse, celui dont je t'avais parlé, c'est son bouquet ; il vient de l'envoyer.

– Hum ! c'est un peu tard... bougonna le roi.

Mais devant l'insistance de sa fille, il fit une exception.

Et c'est ainsi que Simon gagna le concours. On le fit monter sur l'estrade d'honneur où il remit lui-même son bouquet à la reine. En faisant sa révérence, il laissa échapper une petite violette qui le remplit de confusion mais émerveilla toute l'assistance.

– Comme vous pétez bien, lui dit la reine.

– Merci votre majesté, bégaya-t-il, rose comme un cyclamen.

Et pendant que les Michaud, piteusement,
retournaient chez eux, on organisa une grande fête
pour le mariage de Simon et de la princesse.

Avec les années, ils eurent plein d'enfants
qui tous héritèrent du don de leur père
sauf le bébé qui, lui, pétait des cerises
Allez savoir pourquoi.